REMERCIEMENTS:

A HOT; ADAMOU BEMA MADINA; ADELAÏDE DINDI; ADELINE SAINT-VAL; ADJA NDOYE; AEONTHAYISSFLUXX; AFIDI TOWO; AGATHE KOFFI;

AGATHE NJOMGANG DJOUKAM; AISHA OUSMANOU; AISSATA DIALLO; ALAIN MASSIOT; ALEX DRAHON; ALEX SIKOMBE; ALICE GBELIA;

ALICEPEGIEI; ALPHÉE EDWIGE ADIMI; AMETHYSTEKYLE; ANAKINSKYWALKER7334; ANGE LIONEL; ANGELIQUE MANDENGO; ANGELIQUE M-C MENDY; ANITA EKOUME; ANITA NOUNI; ANKHTSUNAMUN; ANNE NADIA EDIMO; ANNE-LAURE EMMANUEL; ANNE-LAURE OMER; ANNE-MARIE FANTIN; ANNICK KAMGANG; ANTA DJOUONONG; ANTHONY SAME; ANTHONY SOUA; ANTOINE DJOMKAM; ARIANE MAWAFFO; ARMEL MBENGUE; ARNAUD BOULET; ARNAUD MEUKANA; ASTRID BAYIHA; AUDE MARIE-LOUISE; AUDREY HEDREVILLE; AUDREY FILIN; AUDREY GASSION; AUDREY KAMDEM; AUGUSTINE DJOMBY; AURELIA MONGU; AURELIE TAMBEKOU; AURIANE WALLABREGUE; AURORE HOLANDE; AXOU97WON; BALTHAZAR LEBIHAN; BESTOFDBLOG; BETTOUX; BIANE SADEY; BINTA KEITA; BISANDRILL; BOUBACAR DIALLO; BRANDBYREAL; BRICE NGANDA; BRICE CYRILLE; BRUNO CARACENA; CAMILLE BERTRAND KITE; CAMILLE NOZIERES; CARIBBEANSISTA; CARINE RICHEBOEUF; CARINE ARIE; CAROLE MADJO; CAROLLE EBI; CHANTAL DOUMBE; CHARLES MANDENGUE; CHAWET EDWINE NADEGE; CHRISLAIN JEMBA EBOUMBOU; CHRISTELLE CICOFRAN; CHRISTELLE DESERT; CHRISTELLE N.DRI; CHRISTIAN NANGA; CHRISTIANE KAMDEM; CHRISTINA CARABIN; CHRISTOPHE CASSIAU-HAURIE; CHRISTOPHE LESUEUR; CHRISTOPHE TARDY; CHRYS EVEN YETAM; CLAIRE ANDRIEUX; CLAUDE MICHEL BISSEG ;.CLEMENT CHADEAU; CLOE GIRARDIN; COLEEN MANSALY; CORALIE NANA; CORALIE OZENGA; CORINNE BEYALA; CORINNE JANE; CORINNE VANGEHUCHTEN; CORINNE WENNER; COULA FLORA (FAMILLE); COUMBA NDIAYE ; COUMBA DIALLO; CYRILLE BUFFET ;CYRIAC GBOGOU; DADABRICABRAC; DANI FEZE; DANIEL EWANE; DANIEL TOTO; DANIELA NWAOBASSI; DANY YAKUSA; DAVE ET MAGUY EBONGUE; DEBORA BELLS; DEBORAH ELISCAR; DEBORAH JESOP; DEBORA MUTTER; DESIREE TOLEN LOE; DIANA EBONDJE; DIANA RAMAROHETRA; DIANEGBELL3; DIDIER DUROC; DIDIER SMOLDERS; DINAPTT; DIZZYTV; DJYAMK; DOMINIQUE KINGUE; DOMINIQUE NGANDO; DORINE RATOVO MOUKOKO; DORIS JIOFACK; EBENDARKMANX; EBOKO TETE; EDITH SIMONE DOUMBE; EDWIGE AFFAA; EKEDI TÉCLAIRE WILSON; ELAN CUSIAC·BARR; ELIE KOGOUP; ELISE MOUKOURY; ELMYRE GARGAR; ELSA KANE NJIALE; EMMANUELLE BERNARD-BREILLAT DAGAN; EMILIANA TIFFANY; ERIKA WILSON; ERIKA DOT; ESTELLE GABY MVOGO BILOA; ESTELLE NZALLI ; ESTHB; EVELINE EDIMO; EVELYNE KINGUE; FABIENNE MEL; FABRICE HELENON; FABRICE TATCHO; FADAHAK ALI BEN HASSANI; FANIE KAYS; FANNY GALERNE; FATOUMATA BECAM; FEE KLOCHETT; FELICIA OMBANDA; FEODORA MOUMBEMBE ; FLORENCE ETAME; FLORENCE MARIA; FRANCIS BOMO MOMO; FRANCK BOPOUNZA; FRANCK KEVIN NANA DEMEN; FRANÇOISE KPEGLO MOUDOUTHE; FRANCOISE MAURER; FREDERIC BLUMSTEIN; GABY ROSEMOND ; GAELLE NO.OSIT; GEORGES KAMCTHUING; GHISLAIN OMER FANCHEY; GHISLAINE NGANOU; GHISLAINE TAMEN; GLADIS KZERO; GOLDA EDIMO; GRACE DINGOM; GRACE MONNOU; GREGOIRE COMBES; GREGORY CHRISTOPHE; GUEDADO TOURE; HAROUN YASSER SANGARE; HERAAK; HERVE BK; HERVE DJIA; HERVE MOMO; HERVE TCHEPANNOU; IDRISS BOYOM; IKARAEKWA; ILEANA CUSIAC ; IPMNB ; ISAAC VEGETA; ISABELLE RELOAD ; IYDAL; JACQUELINE NGO MPII ; JAHLYNNM; JAMES DJEUMEN; JASMINE CYRIELLE EMENE MPACKO ; JEAN- ALAIN PENDA ; JEAN DANIEL BEBE BELL ; JEAN- FRANÇOIS CHANSON ; JEAN-LOUIS COUTURIER ; JEAN-LOUIS NTANG ; JEANNE VALERIE EDIMO ; JEAN-PIERRE SILO ; JEHU TEDDY KOSSOKO ; JEKI ESSO ; JEREMY DIANTIA; JESSICA NORMENIUS; JESSIE WAMAL; JESSY BARBARA KINGUE; JEY KING; JIHANNE ADRASSE ; JIMMY KAISSE ; JOAHNN DALU ; JOAN MURIELLE; JOEL NGASSA HAPPY; JOELLE COUNTERSTRIKE; JOELLE KINGUE; JOKAPSEEK; JOSEPH BAYIHA; JOSINA MENDY ; JOY HAPPY ; JOYCY DJENDA ; JUDITH KAMGA ; JULES FLEURIVAL ; JULIETTE LOUDIEU ; JULIOTTE ; JULYISAIAHFENTY ; KABIKA ROY ; KAREN AUPOINT ; KEMBE (FAMILLE); KHADIJA TEKPE; KIM BARR; KINDERNGON; KISSAVERTINO; KRISTL2706; LADYDMEKUATE ; LAETITIA GOUSSALA MAKAYAT ; LAHEEDJAHTIKIDANKE; LAMABARRY58; LANCELOT SOUMELONG EHODE;

LARAHAZAIRIBARNE ; LAURA NDONGO ; LAURENCE ALBENY ; LAURENCE DOUMBE LAURENT MELIKIAN ; LAURETTE KAMGA ; LEAH TOUITOU ; LEONARD OLIVIER ; LILIANE PORA ; LINE BEA MANDENGUE ; LOIC NKONO ; LORKRANS ; LOUISE NGANDO ; LOURAGANE ; L'OUTSIDER DU PAYS ; LOVELYGALLOU ; LUCIE ELESSA; LUCY LEFEBVRE; LYDIA BOURGADE ; M J MPACKO – ANOFEL WEAR; MA PAUSE DIGITALE; MADELEINE MBANGA ; MADINA LEILA MOULEU YENOU ; MADIOR SOW–OUAKARA; MAGALI PLAVIS ; MAGNIBA DAMBA ; MALIKA GOUFFRAN MALIKI MOUSTAPHA ; MANNY SAIDIYA; MANUELLA NJOMKAM ; MANUKERA; MARATIKATO; MARCELLINE BOPDA MOUKOKO; MARIA MENDY; MARIE (POINTE NOIRE) ; MARIE–CLAUDE EPOUPA ; MARIE DIAWARA ; MARINA PANGRAZI ; MARINE ANDRIEUX ; MARIUS SOKENG ; MARTIN MURZEAU ; MARTINE SORNAY ; MARY JOE H ; MATHIEU DIEZ ; MATHIEU OLYNYK ; MATHILDE MOUTO ; MAYA LA BELL ; MCECILE2– ; MELAINE TRESOR MOAHIRI ; MELISSA DJENNO ; MEMPHIS CHOPNGUI ; MICHELLE BOULLEYS ;MICHELINE LAWSON; MIREILLE KOKO ; MISSALEAREDBANTU ; MMIIDOM ; MOI–MEME ; MOÏSE EKWALLA EBELE; MORENITA 972; MOUDJIBATH DAOUDA; MRATIKATO MUMSGUINAYELLE ; MUNASAWA735 ; MURIELLE TCHOUTA MOUSSA ; MURIELLE WONDJA; MYRIAM BELTOU ; MYRIAM MACHIA; MYRIAM ROSY ELEL; NADÈGE RENAUD ; NADIA LOVE EBA.A ; NADIA NGUEA ; NADIAMSK ; NANCY K ; NANCY POCRAIN ; NATHALIE NADIR ; NATHALIE NOELLE8 ; NGANGMO M J ; NIKITA NJIKAM ; NIKKIE ; NKUINDJA ; NOCHARLOTTE ; NOEMIE LETENNEUR ; NOS TIFS DEFRISES ; NOUSSBIH ; OLIVIA BAMAL ; OLIVIER LUPIN; OMAR MANET ; OPALINELAMEME ; ORIANA JOMBY DIAZ ; OSIRIS DOUMBE ; PALOMA KAZE ; PARFAITE FOTSO ; PATRICIA BAKALACK ; PATRICIA LOPEZ ; PAUL TCHAMAMBE ; PERRINE GARDE ; PHILIPPE BERCY ; PIERRE KANOHA ; PIERRE–ALAIN NANTCHO ; PIERRE–YVES THAUVIN ; PTERJAN ; RACHEL–DIANE CUSIAGBARR ; RAYMOND EKENGLO ; RCELINE ; REINE DAGBO ; RIDJALI SAID ; RIE ; RINFOG ; RODRIGUE YVAN ATEDZOE ; ROSE CAMER– MAERICK– MÉLANIE ;ROSE EMANUELLA GUERVIL ; ROSE JEAN–ELIE ; ROSELYNE TADAH ; SAFIAH SY ; SAMANTHA COUDOUX ; SAMANTHA VIOLTONO ; SAMUEL MEIRLAEN ; SANDRA CLOVEL ; SANDRINE BROOCKS ; SANDRINE DELOFFRE ; SANDRINE KAMDEM ; SANDRINE LIEGEOIS ; SANDY–ANN NEPERT ; SARAH BEBEY ; SARAH CISSE ; SEDAMI ZINSOU ; SELYNE EUGENIE ; SERGE CHRISTIAN POCHANGOU ; SERGE EMTEU ; SERGE ERIC MOUKOURY KOUOH; DOROTHÉE SIB YERI ; SIMONE NYEMB NGUENE ; SISSA MBEDY ; SKYLILLYSVIGINTISEPTEM ; SLEVIN LEGION ; SONY TRIESTE ; SOPHIE EKWE BELL ; SOPHIE STEPHANIE MBUINZAMA ; STESSY BALTA ; STEVE ONANA ; STEVE AMBASSA ; SUPASAYANNEGA ; SWEETYKRAZY ; SYLVAIN SANGAH ; SYLVIA NKOMBO NKOULA ; SYNDIE LEMBERT ; TATIANA ROUX ; THEMAKIAVELIKDEVIL; THEMANAGERAPPS; THIAGUYTITATHIAGO; THIERRY MPOULI; THIERRY SANZHIE BOKALLY; TIDOUBABYZ; TOMMY KAMGA; VAGALUMEVANILLE ; VALERIE PATOLE ; VANESSA FANNIS ; VANESSA LIKE MEM ; VANESSA LEBLANC; VANESSA ONGOLA NGAMBA; VATCHE VATCHE; VEGETAISAAC; VIANNEY COUSIN; VICTORINE PIAU ; WESTCOAST97320 ; WILFRIED EBONGUE ; WILL–BLEDARDISE ; WILLIAM BIAN CHRISPO; WINIE CHOUKAM; WINNER MODE; WYLLKM ; XAVIER PRYEN ; XIANDRA ; YAMAKASI ; YANN MALET ; YASMINE@SPYSAMY; YCHANOU ; YOLANDE T ; YVONNE MEKANYA ; ZAZAZOU77 ; ZIK4ALL; ET MERCI À TOUS CEUX QUI ONT SOUHAITÉ CONSERVER LEUR ANONYMAT.

THANKS FOR
LOVING LVDD
MERCI D'AIMER LVDD

SÉRIEUX !
UNE BD RIEN
QUE POUR
MOI ?!

MISE EN PAGE : MOON PROMOTION, BEYROUTH – LIBAN
TRADUCTION EN ANGLAIS: SANASU
IMPRIMÉ PAR : IMPRIMERIE CHIRAT, LYON – FRANCE, JUIN 2014
ISBN: 978-2-9547148-1-3

CONTACTS : EBENEDUTA@GMAIL.COM / HTTPS://WWW.FACEBOOK.COM/EBENEDUTA /+237 51 85 56 96

AUTOMNE – HIVER

LA VIE D'ÉBÈNE DUTA

ELYON'S

A Heidi, A.B, qui m'a accueillie,
logée et nourrie sans conditions en plein automne Belge

CONTRAIREMENT AUX APPARENCES, CE FUT UN SHOW TÉLÉVISÉ
DIFFUSÉ EN 2010 SUR LA DIVERSITÉ RACIALE ET L'ACCEPTATION DES DIFFÉRENCES

"CHIQUES" : (FRA) TOBACCO (CAM) JIGGER INSECT (BEL) SWEET

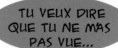

ENCORE ENZO ...

IL N'ARRÊTE PLUS DE M'É-CRIRE DEPUIS

SI QUAND TU "FLIRT" AVEC UN MEC, TON GARS RETOMBE AMOUREUX, LE KARMA EST BIEN POURRI

?!

À MOINS QUE !

SI TU COUCHAIS FRANCHEMENT AVEC LE BLOND, PEUT-ÊTRE QU'ENZO TE DEMANDERA EN MARIAGE

NON, MAIS T'ES MALADE !

EBÈNE, MON TAXI EST LÀ

VIENS FERMER LA PORTE

OK, JE SKYPE ENZO PLUS TARD

AU SUJET DE TA RELATION À DISTANCE

LE BLOND VIT ICI...

ET IL SEMBLE VRAIMENT ACCRO

UN "TIENS" VAUT MIEUX QUE DEUX "TU L'AURAS"

JE... J'AI DÉJÀ UN COPAIN CLAIRE...ET C'EST ENZO. JE VIENS FERMER LA PORTE.

BONUS

"MOP: PIDGIN ENGLISH, DÉFORMATION DU MOT BOUCHE. PEUT ÊTRE UTILISÉ COMME VERBE EMBRASSER

CONCOURS DE DESSIN
DU 02 AU 13 AVRIL, 2014

CONCOURS DE FANARTS
LES DESSINS QUI SUIVENT, SONT DES FANARTS
RÉALISÉS PAR DES FANS DE LVDD, MAIS AUSSI
PAR DES PROFESSIONNELS DU MÉTIER

1ᴵᴱᴿᴱ PLACE
FIBA WAFLE MELAINE TRESOR KOFFI MOAHIRI, ALLEMAGNE
HTTP://FIBAWAFLE.BLOGSPOT.DE/

ebene

camille

lulu

claire

2ᵉᵐᵉ PLACE
GISFAB, ITALIE

3ième PLACE
VEE, MARTINIQUE

HTTP://UNLEZARDAMADININA.COM/

GOUPIL, BELGIQUE

HTTP://DANSLAFAMILLE.BLOGSPOT.BE/

LÉAH TOUITOU , FRANCE

PAHÉ, GABON
PAHÉ: "HI BARBIE" EBENE: "GO SHAVE YOURSELF KEN !"
HTTP://PAHEBD.BLOGSPOT.COM

ERIC WARNAUTS, BELGIQUE

HTTP://WARNAUTSRAIVES.BLOGSPOT.COM/

COMMENT RÉALISER UNE PAGE DE BANDE DESSINÉE

D'ABORD FAUT AVOIR UNE IDÉE, ET L'ÉCRIRE POUR MIEUX LA CERNER

ENSUITE, 'FAUT FAIRE DES CRAYONNÉS

ALORS LULU ET EBÈNE HUMMM

SI JE FAISAIS UNE PAGE PLUS AXÉE RÉALITÉ D'ÉTUDIANT

LE CUISANT ÉCHEC

MATEZ PAS MES FESSES HEIN ? JE NE SUIS PAS CLAIRE !

QUAND ON EST AIME LE RÉSULTAT ON ENCRE LES CRAYONNÉS

ET ENFIN, ON MET LA COULEUR ET LES TEXTES ÉCRITS PLUS TÔT

TOUJOURS SOUMETTRE SES PLANCHES AUX CRITIQUES AVANT L'ENCRAGE

SINON VOUS SEREZ FRUSTRÉS À VIE ... OUAIS À VIE !

C'EST AINSI QU'ON A UNE PLANCHE DE BD

LA PROCHAINE FOIS, JE VOUS MONTRERAI COMMENT ÉCRIRE UN GAG

LA VIE PRIVÉE D' ELYON'S

ELYON'S/BLACK MAMBA 2014

REMERCIEMENTS

BON BEN, C'EST DÉJÀ FINI. JE TIENS À REMERCIER UNE TONNE DE PER-
SONNES. PARTICULIÈREMENT LES DESSINATEURS PAHÉ (GABON) ET ERIC
WARNAUTS (BELGIQUE), QUI M'ENCOURAGENT À ÉCRIRE CETTE HISTOIRE
DEPUIS **2008**. C'ÉTAIT DUR AU DÉBUT, MAIS ÇA A PORTÉ LES MEILLEURS
FRUITS DU MONDE TANT DANS MON TRAIT QUE DANS MON CARACTÈRE.

MERCI À MATHIEU DIEZ ET TOUTE L'ÉQUIPE DE LYON BD FESTIVAL POUR
LES CONSEILS ET ADRESSES UTILES POUR RÉALISER CET ALBUM. AUX FANS
SUR FACEBOOK, SANS QUI CETTE AVENTURE NE SERAIT PAS MATÉRIELLE EN
2014, AUX SUPER FANS DEVENUS SOLDATS D'EBÈNE: MURIELLE WONDJA,
MADIOR SOW OUAKARA, BRICE ALBIN, JP BOER, ELIE KOGOUR, DANI FEZE.

MERCI À MES AMIES: GOUPIL, RACHEL DIANE ET SANASU, POUR LEURS
SOUTIENT ET AIDE QUAND J'ÉTAIS EN PLEIN BURN OUT.

MERCI À MES PARENTS, FRÈRES QUI N'ONT PAS MÉNAGÉ LEURS EFFORTS,
TEMPS ET SANTÉ POUR ME SOUTENIR, M'AIDER, ME CONSEILLER, M'EN-
COURAGER, AUX FAMILLES STARK ET BRÜHLS POUR L'ENCADREMENT EN
BELGIQUE.

LOVE AND THANKS À MON CHER ET TENDRE POUR SES CRITIQUES, SON
AIDE PHÉNOMÉNALE DANS LE MONTAGE DU PROJET BD DANS SA GLO-
BALITÉ, CET ALBUM EN PARTICULIER, SES NUITS BLANCHES EN SOUTIEN
POUR QUE JE NE M'ENDORME PAS SUR MA TABLE DE DESSIN.

UN GRAND MERCI À MON 1ER FAN, DIEU LUI-MÊME, MON POM-POM GOD
QUI A CRU EN MOI AVANT TOUT LE MONDE, AVANT MÊME QUE JE NE
CROIS EN LUI :TGBTG.

MERCI À VOUS QUI AVEZ ACHETÉ CET ALBUM. J'ESPÈRE QU'IL VOUS
METTRA DE BONNE HUMEUR, ET VOUS DONNERA ENVIE DE LIRE LE TOME
2. UNE DERNIÈRE POUR LA ROUTE ? À TRÈS VITE

REMERCIEMENTS:

A HOT; ADAMOU BEMA MADINA; ADELAÏDE DINDI; ADELINE SAINT-VAL; ADJA NDOYE; AEONTHAVISSFLUXX; AFIDI TOWO; AGATHE KOFFI;

AGATHE NJOMGANG DJOUKAM; AISHA OUSMANOU; AISSATA DIALLO; ALAIN MASSIOT; ALEX DRAHON; ALEX SIKOMBE; ALICE GBELIA;

ALICEPEGIEI; ALPHÉE EDWIGE ADIMI; AMETHYSTEKYLE; ANAKINSKYWALKER7334; ANGE LIONEL; ANGELIQUE MANDENGO; ANGELIQUE M-C MENDY; ANITA EKOUME; ANITA NOUNI; ANKHTSUNAMUN; ANNE NADIA EDIMO; ANNE-LAURE EMMANUEL; ANNE-LAURE OMER; ANNE-MARIE FANTIN; ANNICK KAMGANG; ANTA DJOUONONG; ANTHONY SAME; ANTHONY SOUA; ANTOINE DJOMKAM; ARIANE MAWAFFO; ARMEL MBENGUE; ARNAUD BOULET; ARNAUD MEUKANA; ASTRID BAYIHA; AUDE MARIE-LOUISE; AUDREY HEDREVILLE; AUDREY FILIN; AUDREY GASSION; AUDREY KAMDEM; AUGUSTINE DJOMBY; AURELIA MONGU; AURELIE TAMBEKOU; AURIANE WALLABREGUE; AURORE HOLANDE; AXOU97WON; BALTHAZAR LEBIHAN; BESTOFDBLOG; BETTOUX; BIANE SADEY; BINTA KEITA; BISANDRILL; BOUBACAR DIALLO; BRANDB4REAL; BRICE NGANDA ; BRICE CYRILLE ; BRUNO CARACENA ; CAMILLE BERTRAND KITE ; CAMILLE NOZIERES ; CARIBBEANSISTA ; CARINE RICHEBOEUF ; CARINE ARIE ; CAROLE MADJO ; CAROLLE EBI ; CHANTAL DOUMBE ; CHARLES MANDENGUE ; CHAWET EDWINE NADEGE ; CHRISLAIN JEMBA EBOUMBOU ; CHRISTELLE CICOFRAN ; CHRISTELLE DESERT ; CHRISTELLE N.DRI ; CHRISTIAN NANGA ; CHRISTIANE KAMDEM ; CHRISTINA CARABIN ; CHRISTOPHE CASSIAU-HAURIE ; CHRISTOPHE LESUEUR ; CHRISTOPHE TARDY ; CHRYS EVEN YETAM ; CLAIRE ANDRIEUX ; CLAUDE MICHEL BISSEG ;.CLEMENT CHADEAU ; CLOE GIRARDIN ; COLEEN MANSALY ; CORALIE NANA ; CORALIE OZENGA ; CORINNE BEYALA ; CORINNE JANE ; CORINNE VANGEHUCHTEN; CORINNE WENNER; COULA FLORA (FAMILLE); COUMBA NDIAYE ; COUMBA DIALLO ; CYRILLE BUFFET ;CYRIAC GBOGOU; DADABRICABRAC ; DANI FEZE ; DANIEL EWANE ; DANIEL TOTO ; DANIELA NWAOBASSI ; DANY YAKUSA ; DAVE ET MAGUY EBONGUE ; DEBORA BELLS; DEBORAH ELISCAR; DEBORAH JESOP; DEBORA MUTTER; DESIREE TOLEN LOE; DIANA EBONDJE; DIANA RAMAROHETRA; DIANEGBELL3; DIDIER DUROC ; DIDIER SMOLDERS ; DINAPTT ; DIZZYTV ; DJYAMK ; DOMINIQUE KINGUE ; DOMINIQUE NGANDO ; DORINE RATOVO - MOUKOKO ; DORIS JIOFACK ; EBENDARKMANX; EBOKO TETE; EDITH SIMONE DOUMBE; EDWIGE AFFAA; EKEDI TÉCLAIRE WILSON; ELAN CUSIAGBARR ; ELIE KOGOUP; ELISE MOUKOURY; ELMYRE GARGAR; ELSA KANE NJIALE; EMMANUELLE BERNARD-BREILLAT DAGAN; EMILIANA TIFFANY; ERIKA WILSON; ERIKA DOT; ESTELLE GABY MVOGO BILOA; ESTELLE NZALLI ; ESTHB; EVELINE EDIMO; EVELYNE KINGUE ; FABIENNE MEL ; FABRICE HELENON ; FABRICE TATCHO; FADAHAK ALI BEN HASSANI; FANIE KAYS ; FANNY GALERNE ; FATOUMATA BECAM ; FEE KLOCHETT; FELICIA OMBANDA ; FEODORA MOUMBEMBE ; FLORENCE ETAME ; FLORENCE MARIA ; FRANCIS BOMO MOMO ; FRANCK BOPOUNZA ; FRANCK KEVIN NANA DEMEN ; FRANÇOISE KPEGLO MOUDOUTHE ; FRANCOISE MAURER ; FREDERIC BLUMSTEIN ; GABY ROSEMOND ; GAELLE NO.OSIT ; GEORGES KAMCTHUING; GHISLAIN OMER FANCHEY; GHISLAINE NGANOU; GHISLAINE TAMEN; GLADIS KZERO; GOLDA EDIMO; GRACE DINGOM; GRACE MONNOU; GREGOIRE COMBES; GREGORY CHRISTOPHE; GUEDADO TOURE ; HAROUN YASSER SANGARE ; HERAAK; HERVE BK; HERVE DJIA; HERVE MOMO; HERVE TCHEPANNOU; IDRISS BOYOM; IKARAEKWA; ILEANA CUSIAC ; IPMNB ; ISAAC VEGETA; ISABELLE RELOAD ; IYDAL ; JACQUELINE NGO MPII ; JAHLYNNM ; JAMES DJEUMEN ; JASMINE CYRIELLE EMENE MPACKO ; JEAN- ALAIN PENDA ; JEAN DANIEL BEBE BELL ; JEAN- FRANÇOIS CHANSON ; JEAN-LOUIS COUTURIER ; JEAN-LOUIS NTANG ; JEANNE VALERIE EDIMO ; JEAN-PIERRE SILO ; JEHU TEDDY KOSSOKO ; JEKI ESSO ; JEREMY DIANTIA; JESSICA NORMENIUS; JESSIE WAMAL; JESSY BARBARA KINGUE; JEY KING; JIHANNE ADRASSE ; JIMMY KAISSE ; JOAHNN DALU ; JOAN MURIELLE; JOEL NGASSA HAPPY; JOELLE COUNTERSTRIKE; JOELLE KINGUE; JOKAPSEEK; JOSEPH BAYIHA; JOSINA MENDY ; JOY HAPPY ; JOYCY DJENDA ; JUDITH KAMGA ; JULES FLEURIVAL ; JULIETTE LOUDIEU ; JULIOTTE ; JULYISAIAHFENTY ; KABIKA ROY ; KAREN AUPOINT ; KEMBE (FAMILLE); KHADIJA TEKPE; KIM BARR; KINDERNGON; KISSAVERTINO; KRISTL2706; LADYDMEKUATE ; LAETITIA GOUSSALA MAKAYAT ; LAHEEDJAHTIKIDANKE; LAMABARRY58; LANCELOT SOUMELONG EHODE;

THANKS FOR
LOVING LVDD
MERCI D'AIMER LVDD